D0899873

Irmgard Lucht

ROUGE COQUELICOT

Raconte-moi la vie
raconte-moi le coquelicot

Pour Georgi

Irmgard Lucht

ROUGE COQUELICOT

ARCHIMÈDE

l'école des loisirs

11, rue de Sèvres, Paris 6e

L'ÉTÉ est une verte saison. Dans la campagne, tout est vert – vert des arbres, vert des chemins et des prés.

Les jours sont longs. Le soleil tape. Hormis une averse de temps à autre, rien ne se passe. Du moins le croit-on. Et on se trompe.

Sous son calme apparent, la nature accomplit un travail incessant : germination, pousse des plantes, floraison, fructification, etc.

La vie est partout et toujours active. Constatons-le autour de nous.

LE VENT caresse le champ de seigle où naguère le paysan a semé des graines.

Ces graines ont germé côte à côte, faisant pousser cette mer de céréales avec racines et feuilles.

Au bout de chacune des innombrables tiges appelées chaumes (la future paille), s'est formé un épi.

Cet épi rassemble les fleurs du seigle, et les grains qui s'y développent seront ses fruits comestibles.

Car, à l'origine du fruit, il y a toujours la fleur.

De ces fruits, on tirera la farine qui nourrit les hommes, la pâtée qui nourrit les bêtes, et la semence qui produira de nouveaux champs de seigle…

LE SEIGLE pousse tige contre tige comme une forêt. Mais çà et là, au bord du champ, quelques taches de couleur vive tranchent sur le vert de l'été.

Ces fleurs-là, personne ne les a semées. Liseron et coquelicot sont venus d'eux-mêmes, avec un peu de sans-gêne. Et puis ?

Leur vue réjouit notre œil de peintre !

LE BOUTON du coquelicot
penche sous son propre poids.
On le croirait moribond.
Ne nous y trompons pas : il ne fait
que dormir en attendant son heure.
Une nuit, elle viendra.

Soudain, une force monte dans la
tige et redresse le bouton qui éclôt,
plein à craquer. La fleur jaillit de
son enveloppe devenue trop étroite
et inutile.

LES PÉTALES mettent à cette libération une énergie incroyable. Petit prodige du jour, merveille de la vie ! Ce matin, un bouton s'est éveillé, donnant naissance à une fleur éclatante et soyeuse.

Encore un peu froissés, les quatre pétales ne livrent pas tous leurs trésors du premier coup.

C'est le soleil qui peu à peu va les ouvrir, laissant au vent le soin de lisser tous leurs plis.

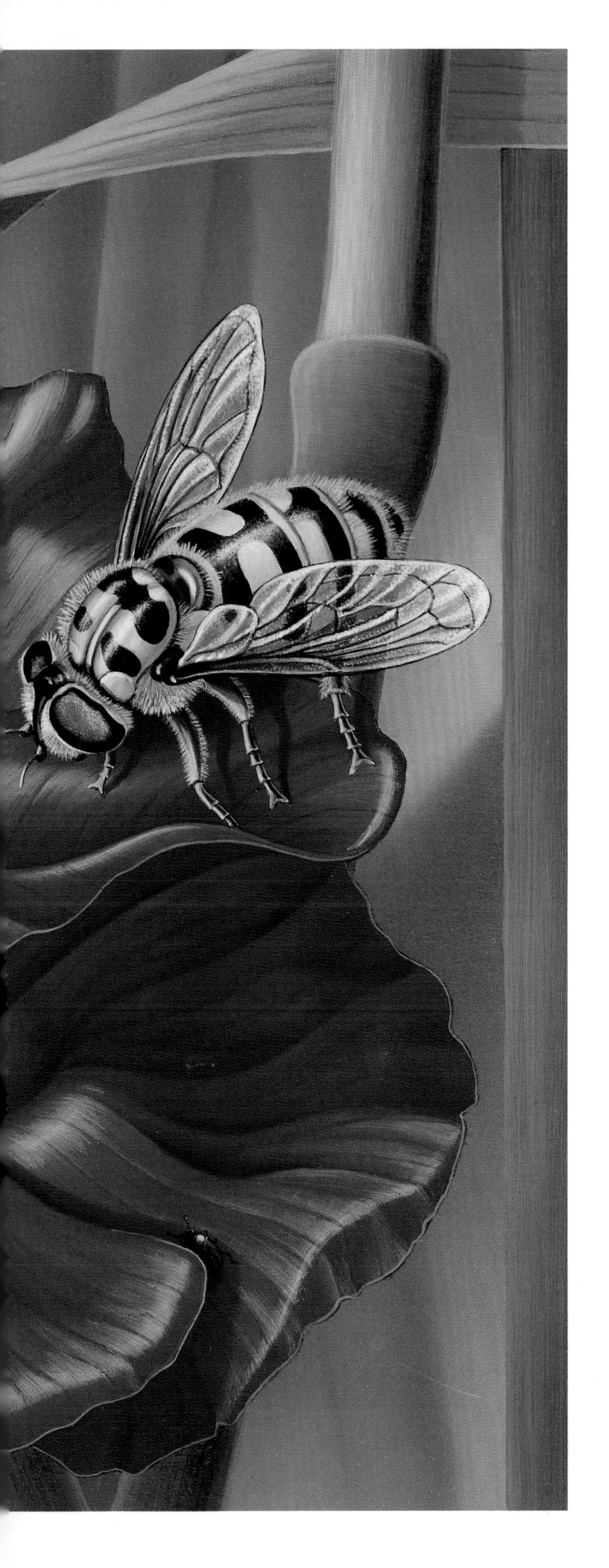

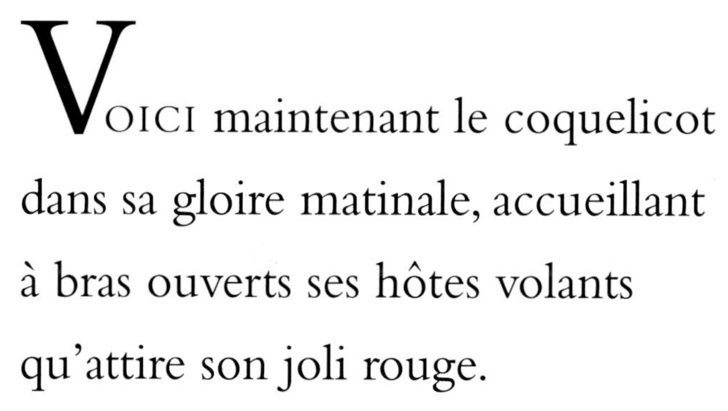

Voici maintenant le coquelicot dans sa gloire matinale, accueillant à bras ouverts ses hôtes volants qu'attire son joli rouge.

La couleur est un signal auquel répondent les insectes. Ils viennent au coquelicot pour se régaler de son nectar, et, tout en se nourrissant, se barbouillent d'un pollen qu'ils transportent vers le prochain coquelicot. C'est exactement ce qui leur est demandé !

AU CŒUR de la fleur se trouve le nectar dont se délectent les gourmands. Mais c'est là aussi que siège le pistil plein de graines, entouré des étamines productrices de pollen et de vie.

Pour que l'espèce se reproduise, la graine du coquelicot doit être fécondée par du pollen. Un tout petit peu de pollen suffit – à la condition qu'il provienne d'un coquelicot voisin. C'est obligatoire.

En butinant d'une fleur à l'autre, l'insecte permet cet échange de pollen et satisfait sans le savoir un besoin de la plante. Ses visites sont donc très attendues.

Un jour s'écoule. Jour de soleil et de vent, avec peut-être une averse d'été. Jour en tout cas plein de visiteurs, mouches, bourdons, guêpes et autres hannetons.

Une syrphe passe, mais ne s'arrête pas.

Le coquelicot a perdu sa fraîcheur. Il se débarrasse de ses pétales comme d'une vieille robe, mais garde ce qu'il a de plus précieux et qui continue à vivre en lui, dans le secret de son pistil vert: ses innombrables graines fécondées grâce au va-et-vient des insectes.

SOLEIL et pluie alternent,
l'été se poursuit. Fruits et graines
mûrissent. Le coquelicot aussi.

Son gros pistil devenu fruit
bouge au vent, semant par ses
pores de petites graines noires
qui tombent au sol comme
le poivre d'un poivrier.
Et peut-être, avec un peu
de chance, verrons-nous
l'an prochain, à cet endroit,
pousser comme par miracle
de nouveaux coquelicots.

CEPENDANT l'été continue à resplendir. Les champs rayonnent de tout leur or, on croirait que le soleil s'y cache.

La moisson a commencé. Elle se poursuivra jusqu'à l'automne. Puis viendra l'hiver, qui mettra la nature au repos. Enfin, au printemps, le vert renaîtra sous la neige, rendant au paysage ses couleurs flambant neuves.

Mais le rouge le plus ardent, nous n'y aurons droit qu'en été. La nature le confie à la fleur qui s'entête à pousser envers et contre tout, sur les talus et jusqu'au milieu des champs : le gentil mais tenace coquelicot.

Pour en savoir plus

pages 4-5
Les animaux représentés sont le lièvre, le campagnol, la bergeronnette grise et ce papillon dont la chenille fait des ravages dans les carrés de choux : la piéride du chou.

pages 6-7
Le traquet tarier convoite un moustique. L'araignée a piégé une piéride. En haut à droite, un petit coléoptère voyage sur un épi de seigle, tout comme la coccinelle (à gauche) le long de sa tige. Une guêpe s'est posée sur une fleur de camomille.

pages 8-9
À côté du coquelicot et du liseron, fleurit la pensée sauvage. Une syrphe, mouche déguisée en guêpe, visite le coquelicot. Le cousin ou tipule se repose sur une feuille. La musaraigne a attrapé un grillon. Cette petite abeille appelée osmie apporte dans son trou un morceau de pétale de coquelicot qu'elle a déchiré à l'aide de ses mandibules. Elle est prévoyante : chaque œuf pondu est déposé dans un trou tapissé de pétales et rempli de nectar avant d'être bouché avec de la terre. La larve qu'il abrite sera ainsi cachée de ses ennemis éventuels.

pages 10-11
Sur le pédoncule (queue de la fleur) du bouton floral dort un petit coléoptère, une chrysomèle.

pages 12-13

La chrysomèle sortie de sa sieste rencontre une autre chrysomèle sur la feuille de seigle. Qu'est-ce qu'elles se racontent ? Des histoires de chrysomèles.

pages 16-17

Le couvercle du pistil porte une sorte d'étoile percée d'ouvertures minuscules qui laissent entrer le pollen, cette poudre que les insectes font voyager d'un coquelicot à l'autre.

pages 14-15

La syrphe se pose sur le coquelicot pour se régaler de nectar. Un petit coléoptère noir l'imite. Deux autres s'approchent. Le coléoptère vert aux deux points rouges sur le dos semble attendre son tour.

pages 18-19

Encore une syrphe. N'ayez crainte : cette mouche ressemble à une guêpe mais ne pique pas.

pages 20-21

Le fruit d'un coquelicot, appelé capsule, contient jusqu'à 3000 graines. Elle les libère par les pores situés sous le couvercle, sous l'effet du vent ou de la «fatigue»... La graine peut passer des années dans le sol. Mais elle germera à la première occasion. Le coquelicot pousse en sol meuble, aéré et fertile.

La coccinelle n'est là que par hasard: cet amateur de pucerons ne mange pas de graines de coquelicot. De même, le moineau friquet ne mange pas de coccinelles, mais préfère la graine mûre du seigle.

pages 22-23

Est-ce l'orage qui menace? Le lièvre détale, la perdrix se terre. Même le fermier se dépêche de moissonner et d'engranger. Le seigle doit être mis à l'abri avant les pluies. La moissonneuse-batteuse permet heureusement un travail rapide.

Comment j'ai fait ce livre

C'est une loupe binoculaire qui m'a permis d'entrer dans l'univers insoupçonné de l'infiniment petit. Cette sorte de microscope vous fait voir les choses non pas à plat, comme le microscope ordinaire, mais en trois dimensions: il vous ouvre une porte sur le monde fabuleux de la profondeur.

J'avais fait une série de dessins de boutons floraux agrandis. Le microscope binoculaire m'ayant fourni des aperçus nouveaux, j'ai rapporté de plus en plus de plantes de mes promenades estivales pour les examiner en détail.

Un jour, j'ai posé sur la plaque de verre une fleur de coquelicot. J'en ai eu le souffle coupé. Ce pourpre intense m'apparaissait à contre-jour dans la lumière de l'appareil: je n'avais jamais rien vu d'aussi superbe. La capsule, plusieurs fois agrandie, semblait un vase magique, une sorte de calice somptueusement ouvragé. Et les étamines peuplées d'insectes étranges! Il fallait que je peigne ça, et tout de suite!

Je m'y suis mise aussitôt. Le soir, devant ma planche finie, j'ai pensé: «Ce que j'ai découvert est si beau qu'il faut que j'en fasse profiter les enfants.»

Impossible, bien sûr, d'inviter tous les enfants de la Terre à venir chez moi regarder dans ma loupe binoculaire. En revanche, je pouvais peindre ce que je voyais et en faire un livre qui permettrait peut-être à beaucoup de monde de partager mon émerveillement.

Ainsi est née l'idée de cet album. Sa réalisation fut une autre et longue histoire...

Dans la mesure du possible, je préfère travailler sur le motif et d'après nature. Mais parfois, la photographie est indispensable. Les coquelicots ne fleurissent que trois mois par an, or une année entière m'a été nécessaire pour venir à bout de mon ouvrage.

Je peins à l'acrylique, par couches successives de lavis pour obtenir des transparences sur un fond passé au blanc donnant aux tons une lumière d'aquarelle. Si trop de couches de couleurs assombrissent certaines zones, je les éclaircis avec du blanc ou des couleurs mélangées à du blanc.

Irmgard Lucht est née le 10 mai 1937 à Bonn. Après une formation d'Ecole normale, elle travaille dans une crèche à Francfort. En 1957, elle entre en stage à l'atelier de costumes et décors du théâtre de cette ville. De 1958 à 1961, élève d'Alfred Will à l'école des Arts-et-Métiers de Cologne, elle s'adonne au portrait. Mariée et mère d'un enfant, elle est auteur-illustrateur de plusieurs albums, «L'année des prés», «L'année de la forêt», «L'année des plantes», etc., tous parus à *l'école des loisirs*. Son premier travail d'illustratrice, «Alle meine Blätter», sur un texte de J. Guggenmoos, a obtenu en 1971 le prix Critici in Erba de la Foire Internationale de Bologne. «L'année des arbres» fut sélectionné pour le Deutsche Jugendbuchpreis en 1980.

Index:

Traduit de l'allemand par Boris Moissard

Titre original : « Roter Mohn: ein Bilderbuch »
Loi n° 49 956 du 16 juillet 1949 sur les publications destinées à la jeunesse : mars 1996
Dépôt légal : mars 1996
Imprimé en CEE